Amazônia
cores e sentimentos
Amazon colors and feelings

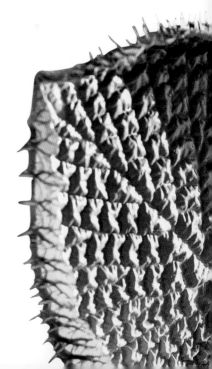

Todos os direitos desta edição reservados
Escrituras Editora e Distribuidora de Livros Ltda.
Rua Maestro Callia, 123 - Vila Mariana - 04012-100
São Paulo, SP - Telefax: (11) 5082-4190
e-mail: escrituras@escrituras.com.br
site: www.escrituras.com.br

Dados Internacionais de Catalogação na Publicação (CIP)
(Câmara Brasileira do Livro, SP, Brasil)

Principe, Leonide
    Amazônia: cores e sentimentos = Amazon colors and feelings
/ Leonide Principe; coordenação editorial Raimundo Gadelha.
– São Paulo: Escrituras Editora, 2002.

    ISBN: 85-7531-033-X

    1. Amazônia – Descrição 2. Amazônia Fotografias I. Gadelha,
Raimundo. II.Título III. Amazon: colors and feelings.

02-1913   CDD-779.99811

Índice para catálogo sistemático:

1. Amazônia: Fotografias 779.99811
2. Fotografias: Amazônia 779.99811

Impresso no Brasil
Printed in Brazil

COORDENAÇÃO EDITORIAL
Raimundo Gadelha

PRODUÇÃO GRÁFICA
Franklin de Paiva

PROJETO GRÁFICO
Bianca Saliba

EDITORAÇÃO ELETRÔNICA
Ricardo Siqueira

TRADUÇÃO
Joana Cañedo (francês)
Juan Figueroa (espanhol)
Mark Ament (inglês)

REVISÃO
Edna Adorno

IMPRESSÃO
Takano Editora Gráfica Ltda.

APOIO CULTURAL

Amazônia
cores e sentimentos
Amazon colors and feelings

Leonide Principe

escrituras

São Paulo, 2002

A Amazônia é uma encantaria do mundo. Lugar onde habitam seres encantados convertidos em mitos, lendas, paisagens ideais e onde brilham as iluminuras de deuses e crenças, poetizando a paisagem de rios e florestas no longo verso do devaneio dos homens. É imaginada como uma ilha isolada no oceano do desejo universal de felicidade. Há o Brasil. E há a Amazônia. Ilha de bem-aventurança. Lugar de errâncias, do paraíso na terra.

Na Amazônia vive-se o apelo obcecante do olhar. O olhar necessário para tudo. Para reconhecer o caminho, para observar o tempo, para garantir as safras, para guiar-se na escuridão dos rios e matas, para escolher o lugar da pesca, para refazer os caminhos da volta. Pelo olhar a realidade vai sendo apreendida e o coração das coisas é alcançado.

É fundamental a valorização fotográfica das essências da cultura do olhar na Amazônia. O olhar da câmera como janela da alma, que também introverte, na alma, a paisagem e a converte em cultura. Ele torna o invisível visível. A câmera revela a transfiguração do que contempla. Ela é capaz de desencantar realidades na realidade, de revelar a epifania submersa nas coisas do cotidiano.

O rio permite olhares desse olho-câmera em atitudes de estranhamento. O verbo emergir confere ao rio a significação do lugar de onde as coisas aparecem. É das águas que se emerge. É das águas placentárias que o ser brota para a vida. O rio está vestido com a pele das águas, mas também a sua carne e sua alma são de água. O que nele está mergulhado participa de uma união cósmica. O rio nasce num olho d'água. Significa que o olhar desse olho é líquido, é a água corrente da alma do rio. Sendo assim, o rio é um grande olho que olha o céu por quem é olhado. Espelho de água. Olho d'água olhado pelo olho-câmera, numa liturgia em que o que olha só pode olhar porque se vê olhado.

A floresta nasce de uma semente que brota no útero da terra e é também uma plantação de símbolos, escondendo olhos que espreitam, que vigiam. A floresta não tem um olho só. Seus olhos são incontáveis como as folhas e as folhas escondem olhos. Os escuros escondem olhos. São, portanto, multidões de olhos espalhados nas infinitas faces da floresta. Misteriosos olhares que, enquanto fotografados, contemplam quem os contempla.

As fotografias de Leonide Principe recriam o mistério que faz da Amazônia uma encantaria do mundo. Como o olho da Boiúna – mito fluvial perscrutador das noites amazônicas – esse olho/câmera espreita índios e caboclos, céu e terra, floresta, rios, aves, peixes, casas, rastros da cultura e pegadas ilusórias da eternidade no chão-tempo. O olho/câmera que transfigura o real da Amazônia nessa outra encantaria da arte que é a fotografia. Uma fotografia que, para o prazer do olhar, faz presente, para sempre a maravilha amazônica.

João de Jesus Paes Loureiro
Poeta e pesquisador da cultura amazônica

The Amazon is an enchantment of the world. A place inhabited by enchanted beings which have been converted into myths. Its views are also ideal and in them gods and beliefs glow, showing in its rivers and forests the verses of men's dreams. The Amazon is thought of as an isolated island in an ocean of universal pleasure. Brazil exists. The Amazon exists. An island of bliss. A place for eternal roaming, the location of heaven on earth.

In the Amazon the sense of sight is tested to its limits. Sight is needed for everything: to find your way, to check on the weather, to be certain of harvest, to guide yourself in the darkness of rivers and forests, to decide on fishing locations, to find the return rout. Through the eye reality is deeply sensed and the heart of the surroundings may be grasped.

It is essential to show the cultural essence of the Amazon photographically. The camera is a window into the soul, transforming images into culture. This makes the invisible visible. The camera reveals transfiguration in what is being contemplated. It also creates new dimensions. It can create different realities within reality, reveal the epiphany hidden in everyday scenes.

The river takes this camera/eye into a world of wonder. The verb to emerge gives the river its credit as the place where things appear. It is from water that life emerges. The human being emerges from the waters of the placenta. The river wears a skin of water, but its flesh and soul are also water. Everything in the river belongs to a cosmos. The river is born as a tear in the eye of the spring. This gives the eye a watery look – the running water, the soul of the river. In this way, the river is a large eye looking up at the sky, which in turn looks down on it. Mirror of water. Eye of the spring spied on by the eye of the camera, in a strange turn of events in which what is looking can only look because it is being looked through.

The forest is born from a seed that sprouts in the uterus of the earth. It is also a plantation of symbols, hiding eyes that watch, that spy. The forest does not have only one eye. Its eyes, like the leaves, cannot be counted and the leaves hide eyes. Eyes are hidden in the dark. There are, therefore, multitudes of eyes spread among the infinite faces of the forest. Mysterious eyes which, while being photographed, contemplate the eye that observes them.

Leonide Principe's photographs recreate the mystery that makes the Amazon an enchantment of the world. Like the eye of Boiúna – a river myth that scrutinizes the Amazon night – the eye/camera spies on Indians and peasants, sky and earth, forest, rivers, birds, fish, houses, cultural tracks and the imagined spoor of eternity in the ground of time. The eye/camera changes this real Amazon into its new enchantment within the art of photography. Photography which, to the pleasure of our eyes, makes the marvel of the Amazon eternal.

João de Jesus Paes Loureiro
Poet and researcher of Amazon culture

Maravillas Reveladas

La Amazonia es un universo de fascinaciones. Lugar donde habitan seres encantados convertidos en mitos, en leyendas, en paisajes ideales, donde brillan – como antiguas miniaturas vivas – imágenes de dioses y creencias, poetizando paisajes de ríos y selvas en el largo verso de la fantasía de los hombres. A esta tierra la imaginan como una isla apartada en el océano del deseo universal de felicidad. Existe Brasil. Hay una Amazonia. Isla de bienaventuranza. Lugar de *vagamundeos*, donde se encuentra el paraíso en la Tierra.

En la Amazonia no hay cómo dejar de mirar. Todo atrae a los ojos. Es imprescindible mirar para reconocer los caminos, para contemplar el tiempo y asegurar las cosechas, para orientarse en la oscuridad de los ríos y los bosques, para decidir el lugar idóneo de la pesca, y saber rehacer los caminos de vuelta. Por los ojos entra la realidad y es aprehendida, por la mirada se alcanza el corazón de las cosas.

Se hace inexcusable en la Amazonia una valorización fotográfica de las esencias de la cultura de la mirada. El mirar de la cámara como ventana del alma, que a la vez incorpora en ella el paisaje, convirtiéndolo en cultura. Lo invisible lo hace visible. La cámara revela la transfiguración del que contempla. Es capaz de adivinar realidades presentes en la realidad, de revelar la epifanía sumergida en las cosas de la vida cotidiana.

El río permite que el ojo-cámara se entregue al mirar absorto. El verbo emerger le otorga al río el sentido de ser lugar donde las cosas aparecen. Se emerge de las aguas. Incluso el ser brota a la vida desde las aguas placentarias. El río está vestido con la piel de las aguas, su propia carne y su alma son de agua. Todo lo que en él está sumergido participa de una unión cósmica. El manantial del río es un ojo de agua. Significa que el mirar de ese ojo es líquido, es el agua que fluye del alma del río. Así el río es un ojo inmenso que mira al cielo, el mismo cielo que a su vez lo mira a él. Espejo de agua. Ojo de agua mirando por el ojo-cámara, en una ceremonia en que lo que mira sólo puede mirar porque se ve mirado.

La selva nace de una simiente que brota en el útero de la Tierra y es también una plantación de símbolos. Esconde ojos que acechan, ojos vigilantes. No tiene la selva un solo ojo. Sus ojos son incontables, como las hojas, y las hojas ocultan ojos. Las umbrías esconden ojos. Multitud de ojos diseminados por los infinitos rostros de la selva. Misteriosas miradas que, al ser fotografiadas, contemplan a quienes las contemplan.

Las fotografías de Leonide Principe recrean el misterio que hace de la Amazonia un universo de fascinaciones. Como el ojo de la Boiúna – mito fluvial que vigila las noches amazónicas – este ojo-cámara observa con fijeza a los indios y a los caboclos, al cielo y la Tierra, a la selva, los ríos, las aves, peces, casas, vestigios de la cultura y huellas ilusorias de la eternidad en el suelo-tiempo. El ojo-cámara que transfigura lo real de la Amazonia en esa otra magia del arte que es la fotografía. Una fotografía que para placer de los ojos, hace presente eterno la maravilla amazónica.

João de Jesus Paes Loureiro
Poeta e investigador de la cultura amazónica

Les merveilles révélées

L'Amazonie est un enchantement du monde. Lieu où habitent des êtres enchantés convertis en mythes, légendes et paysages réels, et où brille l'illumination des dieux et des croyances, qui poétisent le paysage des fleuves et des forêts en traçant le long vers de la rêvasserie des hommes. On l'imagine comme une île isolée dans l'océan du désir universel du bonheur. Il y a le Brésil. Et il y a l'Amazonie. L'île de la bonne fortune. Lieu d'errances, du paradis sur la terre.

En Amazonie on assiste à l'appel obsédant du regard. Le regard nécessaire à tout. Pour suivre un chemin, pour observer le temps, pour garantir les récoltes, pour se guider dans les ombres des bois et des fleuves, pour choisir le lieu de la pêche, pour refaire les chemins de retour. Par le regard la réalité est saisie et le cœur des choses est atteint.

La valorisation photographique des essences de la culture du regard en Amazonie est fondamentale. Le regard de la caméra, équivalent à la fenêtre de l'âme, renvoie le paysage dans l'âme et le converti en culture. Il rend visible l'invisible. La caméra révèle la transfiguration de ce qu' elle contemple. Elle est capable de désenchanter les réalités de la réalité, de révéler l'épiphanie voilée dans les choses du quotidien.

Le fleuve reçoit les regards de cet œil-caméra avec une sorte d'étrangement. Le verbe "émerger" accorde au fleuve la signification du lieu d'où les choses surgissent. La signification de l'être lui-même : c'est à travers les eaux placentaires qu'il vient à la vie. Le fleuve est revêtu de la peau des eaux, mais sa chair et son âme sont aussi en eau. Ce qui y est plongé participe à l'union cosmique. Le fleuve naît d'une source, dont le regard est fluide, c'est l'eau courante de l'âme du fleuve. Ainsi, le fleuve est un grand œil qui regarde le ciel par qui il est regardé. Miroir d'eau, qui réfléchi le regard de l'œil-caméra, dans une liturgie où celui qui regarde ne peut regarder que parce qu'il se voit regardé.

La forêt naît du grain qui pousse dans l'utérus de la terre. Et elle est aussi une culture de symboles voilant des yeux qui épient, qui surveillent. La forêt n'a pas qu'un seul œil. Elle en a d'innombrables, comme les feuilles, et les feuilles cachent des yeux. Les ombres cachent des yeux. Il y a donc des multitudes d'yeux dispersés dans les faces infinies de la forêt. Des regards mystérieux qui, photographiés, contemplent ceux qui les contemplent.

Les photos de Leonide Principe reconstituent le mystère qui fait de l'Amazonie un enchantement du monde. Comme l'œil du monstre Boiúna – mythe fluvial scrutateur des nuits amazoniennes – cet œil-caméra guette les indiens et les métis, le ciel et la terre, la forêt, les fleuves, les oiseaux, les poissons, les habitations, les traces de la culture, les empreintes illusoires de l'éternité sur le sol-temps. L'œil-caméra transfigure le réel de l'Amazonie en cet autre enchantement de l'art qui est la photo. Une photo qui, pour le plaisir du regard, rend présente pour toujours la merveille amazonienne.

João de Jesus Paes Loureiro
Poète et chercheur de la culture amazonienne

Santuário das Garças, no lago de Janauacá.
Vindas de todas as direções, as garças chegam
a esse lugar para dormir.

Heron sanctuary on Janauacá lake.
From all over, herons come here to rest.

Santuario de las garzas, en el lago de Janauacá.
Llegan de los puntos más diversos y se concentran
aquí para pasar la noche.

Sanctuaire des Aigrettes, dans le lac Janauacá.
Venues de tous côtés, les aigrettes s'arrêtent ici
pour se reposer.

Marrecos. Quando algum barco se aproxima, eles levantam vôo sincronizado.

Wild ducks. When a boat approaches, they all take to syncronized flight.

Marrecos. Al acercarse un barco, alzan el vuelo sincronizadamente.

Marrecos. Quand un bateau s'approche ils partent en vol synchronisé.

Cais flutuante do porto de Manaus. Construído pelos ingleses, permite a atracação de grandes transatlânticos.

Floating pier of Manaus port. Built by the English, this pier permits mooring of large transatlantic ships.

Muelle fluctuante del puerto de Manaus. Fue construido por los ingleses. Permite el atraque de grandes transatlánticos.

Quais flottant du port de Manaus. Construit par les anglais, il permet l'ancrage de grands transatlantiques.

Durante as cheias, o Rio Solimões, impetuoso e dominante, clareia as águas escuras do Rio Negro.

During the wet season, Solimões river, impetuous and dominating, makes lighter the dark waters of Negro river.

Durante las crecidas, el río Solimões, impetuoso y dominador, clarea las oscuras aguas del río Negro.

A l'époque des pluies, le fleuve Solimões, impétueux et dominant, éclairci les eaux sombres du fleuve Negro.

Depois de se encontrar, as águas dos rios Solimões e Negro seguem seu próprio caminho, por alguns quilômetros, sem misturar-se.

After having come together, the waters of rivers Solimões and Negro keep their separate paths for a few kilometers, not mixing.

Tras encontrarse, las aguas de los ríos Solimões y Negro siguen su propio camino, por espacio de varios kilómetros, sin mezclarse.

Après la rencontre des eaux, les fleuves Solimões et Negro suivent leurs cours pendant des kilomètres sans se mélanger.

Barcos atracados em frente ao Mercado Municipal, em Manaus.

Boats moored in front of the Municipal Market in Manaus.

Barcos atracados frente al Mercado Municipal de Manaus.

Bateaux amarrés devant le Marché Municipal de Manaus.

Bicho-preguiça (Bradypus tridactylus). Passa a maior parte do tempo em cima das árvores e alimenta-se de folhas.

Sloth. This animal spends most of its time up trees and feeds on leaves.

Bicho-preguiça. Pasa la mayor parte de su tiempo sobre los árboles alimentándose de sus hojas.

Paresseux. Il passe la plus part de son temps en haut des arbres en se nourrissant de feuilles.

Vista aérea de um
trecho da floresta
amazônica.

*Aerial view of a
stretch of the
Amazon forest.*

*Vista aérea de una
parte de la selva
amazónica.*

*Vue aérienne de la
forêt amazonienne.*

Encontro das águas do Rio Solimões, de cor clara, com as do rio Negro, de cor escura. Desse encontro nasce o Rio Amazonas.

Meeting of the waters of the Solimões river's clear water with the dark waters of the Negro river. The Amazon river is born from this meeting.

Encuentro de las aguas claras del río Solimões con las oscuras del río Negro. De este encuentro nace el río Amazonas.

La rencontre des eaux des fleuves Solimões, de couleur claire, et Negro, sombre. De cette rencontre naît le fleuve Amazonas.

Morada dos índios
da tribo
Caramapatei,
próxima ao Monte
Roraima.

*Housing of
Caramapatei
Indians, near
Monte Roraima.*

*Morada de los
indios de la tribu
Caramapatei, cerca
del Monte
Roraima.*

*Habitation
des indiens
Caramapatei, près
du Mont Roraima.*

Apuí (Clusia sp). É uma árvore que nasce sobre outra. De tão respeitada pelos índios, serve de sepultura aos seus mortos ilustres.

Apuí. This is a tree that grows on top of another one. Indians have great respect for this tree, and use it as a tomb for their illustrious dead.

El apuí es un árbol que nace sobre otro. Sagrado para los indios, lo utilizan como sepultura para sus muertos más ilustres.

Apuí. C'est un arbre qui naît sur un autre. Il est tellement respecté par les indiens qu'il sert de sépulture pour leurs morts illustres.

20

Uacari branco
(Cacajao calvus).
Vive no topo das
árvores mais altas.
A espécie está
ameaçada de
extinção.

*Bald Uacari.
Lives in the
highest treetops.
This species is
threatened with
extinction.*

*Ucari branco.
Habita las copas
de los árboles más
altos. Es una
de las especies
amenazadas de
extinción.*

*Ouakari chauve.
Il vit au sommet
des arbres les plus
hauts. C'est une
espèce en voie de
disparition.*

21

Ilha Comprida,
no Arquipélago de
Anavilhanas, no
Rio Negro.

*Comprida (Long)
island, in the
archipelago of
Anavilhanas, on
the Negro river.*

*Isla Comprida, en
el archipiélago de
Anavilhanas, en el
río Negro.*

*Longue Île, dans
l'archipel des
Anavilhanas, sur
le fleuve Negro.*

Sauim-de-coleira (Saguinus bicolor). Pequeno primata ameaçado de extinção.

Collared Tamarin. Small primate that is threatened with extinction.

Sauim-de-coleira. Pequeño primate amenazado de extinción.

Tamarin bicolore. Petit primate en voie de disparition.

Barco regional
no Rio Negro.

*Regional boat on
the Negro river.*

*Barco regional en
las aguas del
río Negro.*

*Bateau régional
sur le fleuve Negro.*

Pôr-do-sol no rio Amazonas. De junho a dezembro, na época da seca, os dias ensolarados terminam com essa paisagem espetacular.

Sunset on the Amazon river. From June to December, during the dry season, sunny days end with this spectacular view.

Puesta de sol en el río Amazonas. En la época de estiaje, de junio a diciembre, los días soleados terminan con este paisaje espectacular.

Coucher du soleil sur l'Amazonas. De juin à décembre, à la période de la sécheresse, les jours ensoleillés finissent par ce paysage spectaculaire.

Borboleta azul
(Morpho sp).
Espécie muito
comum
encontrada nas
trilhas das
florestas.

*Blue butterfly.
Species frequently
found on forest
paths.*

*Mariposa azul.
Se la suele ver
revoloteando por los
senderos de la selva.*

*Papillon Morpho.
Espèce très
commune qu'on
retrouve dans les
chemins des forêts.*

Inia Geoffrensis. Rebatizado por Jean-Jacques Cousteau de boto-cor-de-rosa, é um dos mamíferos aquáticos mais característicos da Amazônia.

Baptised by Jean-Jacques Cousteau as pink porpoise, is one of the most popular Amazon water mammals.

Bautizada por Jacques Cousteau como boto-cor-de-rosa. Es uno de los mamíferos acuáticos más característicos de Amazonia.

Baptisé "dauphin rose" par Jean-Jacques Cousteau, c'est l'un des mammifères aquatiques les plus caractéristiques de l'Amazonie.

Ariaú Amazon Towers. Hotel na margem do rio Negro, um dos pontos de referência do ecoturismo internacional.

Ariaú Amazon Towers. A hotel on the bank of the Negro river, a reference point for international eco-tourism.

Ariaú Amazon Towers. Hotel a orillas del río Negro, uno de los principales enclaves del ecoturismo internacional.

Ariaú Amazon Towers. Hôtel au bord du fleuve Negro, l'un des points de référence de l'écotourisme international.

Orquídea do
Alto Rio Negro
(Cattleya
brymeriana).

*Alto Rio Negro
orchid.*

*Orquídea del
alto río Negro.*

*Orchidée du haut
Rio Negro.*

Rio Cuieiras. Afluente do Rio Negro, o rio ganhou esse nome pela grande abundância, em suas margens, de cuieiras, pequenas árvores de cujo fruto seco se fabricam cuias, recipientes de grande serventia para o ribeirinho.

Cuieiras river. Tributary of the Negro river, the Cuieiras got its name from the abundant cueira trees on its banks. The tree has a dry fruit from which those who live on the river banks make gourds, utensils of great use.

Río Cuieiras, afluente del río Negro. El río recibe ese nombre por la abundancia de cuieiras que se encuentran a sus orillas. Las cuieiras son pequeños árboles con cuyo fruto se fabrican, tras vaciar su pulpa, las cuias, vasijas que son de gran utilidad para las gentes de la ribera.

Fleuve Cuieiras. Affluent du fleuve Negro, son nom se doit à la grande quantité de **cuieiras***, tout le long de ses rives, de petits arbres dont les fruits secs servent à produire des* **cuias***, des récipients à tout usage.*

Frutos do patauá.
É uma palmeira
de cujos frutos
se produz o
vinho de açaí.

*Patauá fruit. This
is a palm tree, and
from its fruit açaí
wine is produced.*

*Frutos de la
palmera patauá.
Con ellos se
produce el vino
de açaí, muy
apreciado en todo
Brasil.*

*Fruits du patauá,
palmier dont les
fruits produisent
le vin d'açaí.*

A canoa é o principal meio de transporte dos ribeirinhos da Amazônia.

The canoe is the main means of transport for those who live by rivers in the Amazon.

La canoa es el principal medio de transporte de quienes viven a la orilla de los ríos en la Amazonia.

Le canot est le principal moyen de transport des riverains de l'Amazonie.

Canoeiros do Rio Negro. Ao por-do-sol, o canoeiro volta ao seu barraco com o peixe de todo dia.

Fishermen on the Negro river. At sunset, fishermen return to their homes with the fish they collected that day.

Canoero del río Negro. Al ponerse el sol, el canoero vuelve a su cabaña con los peces del día.

Canoteurs au fleuve Negro. Au coucher du soleil, le canoteur retourne chez lui avec la pêche du jour.

34

Chuva no igapó.
O igapó é a
floresta inundada
na época da cheia.

*Rain on the igapó.
An igapó is the
flooded forest
during the
wet season.*

*Lluvia en el igapó.
El igapó es la parte
de selva inundada
en la época
de crecidas.*

*Pluie sur l'igapó.
L'igapó est la forêt
inondée au temps
de la crue.*

Curso d' água
encontrado
durante uma
longa caminhada
na selva, na
reserva de
Yanomani, no
Estado de
Roraima.

Water way
encountered during
a long walk in the
forest. It is in the
Yanomami Indian
reserve in the State
of Roraima.

Corriente de agua
descubierta tras
larga caminata por
la selva, en la
reserva Yanomami,
en el Estado de
Roraima.

Cours d'eau
retrouvé durant
une longue
promenade dans
la jungle, dans la
réserve indigène des
Yanomani, dans
l'Etat de Roraima.

36

Tucano-de-peito-
branco
(Ramphastos
tucanus). É a ave
símbolo da
Amazônia.

*White-breasted
toucan. This bird is
the symbol of the
Amazon.*

*Tucano-de-peito-
branco (Tucán de
pecho o garganta
blanca). Es el ave
que simboliza la
Amazonia.*

*Toucan à bec
rouge. C'est
l'oiseau symbole de
l'Amazonie.*

Guaraná (Paullinia cupana). É um fruto utilizado pelos índios na preparação de uma bebida revigorante.

Guaraná. This is a fruit Indians use to prepare an energizing drink.

Guaraná. Los indios utilizan este fruto para preparar una bebida revitalizadora.

Guarana. Fruit utilisé par les indiens pour la préparation de boisson stimulante.

Cais flutuante com movimento intenso
de chegada e partida de barcos regionais.

*Floating Pier, with intense movement of regional
boats docking and leaving.*

*Muelle fluctuante, con intenso movimiento de
llegadas y partidas de barcos regionales.*

*Quais flottant au moment du mouvement
d'arrivée et départ des bateaux régionaux.*

Município de Presidente Figueiredo, também conhecido como "Terra das Cachoeiras". Na foto, a Cachoeira do Arco.

Presidente Figueiredo city, also known as "Land of the Waterfalls". The picture shows Arco waterfall.

Municipio de Presidente Figueiredo, también conocido como Tierra de las Cascadas. En la foto, Salto del Arco.

Presidente Figueiredo, ville également connue comme la "Terre des cascades". Sur la photo, la cascade de l'Arco.

Teatro Amazonas. Monumento preservado como patrimônio nacional desde 1965, completou 100 anos em 1996.

Amazonas Theatre. A national Monument since 1965, 1996 was the year of its 100th anniversary.

Teatro Amazonas. Monumento declarado patrimonio nacional en 1965. Cumplió 100 años en 1996.

Théâtre Amazonas. Monument préservé comme patrimoine national depuis 1965. Il a complété 100 ans en 1996.

Choupanas dos índios da tribo Yanomami. As choupanas são ocas gigantes que servem de habitação para diversas famílias de uma mesma tribo.

Yanomami Indian home. This is a typical large dwelling in which all the families in a tribe live together.

Choupanas *de los indios de la tribu Yanomami. Las* **choupanas** *son ocas (cabañas) gigantes que sirven de residencia a todas las familias de una misma tribu.*

Choupanas *des indiens Yanomami. Les* **choupanas** *sont des habitations géantes qui servent d'abri à diverses familles d'une même tribu.*

Arquipélago de
Anavilhanas.
As ilhas
confundem-se
com o horizonte.

*Anavilhanas
archipelago.
The islands merge
with the horizon.*

*Archipiélago de
Anavilhanas.
Las islas se
confunden
con el horizonte.*

*Archipel des
Anavilhanas.
Les îles se
confondent avec
l'horizon.*

Índios Makiritari. Etnia que vive entre o Brasil e a Venezuela. Os que vivem do lado brasileiro são os Maiongong. Falam a língua yekuana.

Makiritari Indians. This ethnic group lives on the border of Brazil and Venezuela. Those living on the Brazilian side are the Maiongong. They speak the yekuana language.

Indios Makiritari. Pueblo que vive entre Brasil y Venezuela. Los Maiongong son los que habitan en la parte brasileña. Hablan la lengua Yekuana.

Indiens Makiritari. Ethnie qui habite le Brésil et le Venezuela. Ceux qui vivent du côté brésilien sont les Maiongong, qui parlent le yekuana.

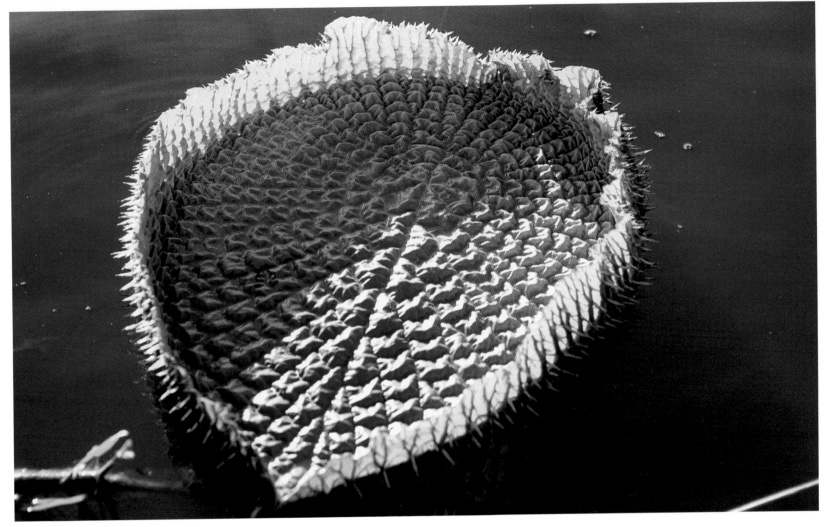

Uma folha nova de vitória-régia
(Victoria amazonica).

A new Victoria Regia leaf.

Una hoja nueva de vitória-régia.

Une nouvelle feuille de nénuphar.

Casa típica do
caboclo da região
amazônica.

*Typical residence of
an inhabitant of
the Amazon region.*

*Casa típica de
caboclo (mestizo de
blanco con indio)
de la región
amazónica.*

*Habitation
typique des natifs
de la région
amazonienne.*

Menino Yanomami. Habilidosos caçadores, desde criança fabricam seus eficientes e certeiros brinquedos.

Yanomami boy. Skilled hunters, they craft their efficient and accurate toys starting in childhood.

Niño Yanomami. Hábiles cazadores ya desde la niñez, fabrican sus útiles y certeros juguetes.

Enfant Yanomami. Des chasseurs adroits, ils fabriquent depuis le plus jeune âge des jouets précis et efficaces.

Periquitos. Em bandos barulhentos,
eles procuram suas frutas preferidas
de árvore em árvore.

*Parakeets. In noisy flocks, these birds look
for their favourite fruits from tree to tree.*

Periquitos. En bandadas bulliciosas buscan
de árbol en árbol sus frutas preferidas.

*Conures. En groupes très bruyants,
elles cherchent des fruits d'arbre en arbre.*

Lago Janauacá, na margem direita do rio Solimões. É rico em peixes e importante turisticamente.

Janauacá lake, on the right bank of the Solimões river. This lake is very rich in fish, and is very important for tourism.

Lago Janauacá, en la margen derecha del río Solimões. Es rico en peces y un importante centro turístico.

Lac Janauacá, sur la rive droite du fleuve Solimões. Il est riche en poissons et très important du point de vue touristique.

Pupunha (Bactris gassipaes). Fruto típico da Amazônia. Sua árvore é a pupunheira, uma espécie de palmeira cujo tronco lotado de espinhos longos e afiados desafia a habilidade do caboclo.

Pupunha. Typical fruit of the Amazon. The tree it grows on, pupunheira, is a kind of palm tree with a trunk full of long sharp thorns making it a challenge for the inhabitants of the region.

La pupunha es un fruto típico de la Amazonia. Crece en la pupunheira, una especie de palmera cuyo tronco, cubierto de espinas largas y afiladas, desafía al más hábil caboclo.

Pupunha. Fruit typique de l'Amazonie. Son arbre est la pupunheira, une espèce de palmier dont le tronc est chargé d'épines longues et pointues qui défient la dextérité du natif.

Ao amanhecer,
as garças retornam
ao seu território
de pesca.

*At sunrise, the
herons return to
their fishing
territory.*

*Al alba, las garzas
retornan a sus
territorios de pesca.*

*A l'aube, les
aigrettes retournent
à leurs territoires
de pêche.*

Transporte de toras de madeira.
Na extração indiscriminada, o maior risco
para a Amazônia.

*Transport of **wood down** river. Indiscriminate
extraction is the largest risk to the Amazon.*

*Transporte de troncos. La tala indiscriminada
supone el riesgo más grave para la Amazonia.*

*Transport de billes de bois. La extraction sans
réglementation est l'un des plus grands dangers
de l'Amazonie.*

Arquipélogo de Anavilhanas. É o segundo maior arquipélogo fluvial do mundo.

Anavilhanas Archipelago. It is the second largest river archipelago in the world.

Archipiélago de Anavilhanas. Es el segundo mayor archipiélago fluvial del mundo.

Archipel des Anavilhanas. C'est le deuxième plus grand archipel fluvial du monde.

Espécie de orquídea típica de áreas alagadas (Galeandra devoniana). Conhecida como "flor do boto". Segundo a lenda, quando alguém quer colhê-la, o boto bóia próximo para defendê-la.

Type of orchid typical to flood plains. Known as "porpoise flower ". Legend says that, when somebody wants to pick the flower, the fresh water porpoise will surface in the proximity so as to defend it.

Típica orquídea de regiones encharcadas. Conocida como flor do boto; la leyenda cuenta que cuando alguien quiere cogerla, el boto aparece a su lado para defenderla.

Espèce d'orchidée typique des terrains innondés, connue comme la "fleur du dauphin". Selon la légende, quand quelqu'un essaie de la cueillir, le dauphin vient à la surface pour la défendre.

Lago do Bim, na margem direita
do Rio Negro.

Bim lake, on the right bank of Negro river.

*Lago do Bim, en la margen derecha
del río Negro.*

Lac Bim, sur la rive droite du fleuve Negro.

56

Papagaio. Pássaro falante, que se alimenta de insetos, frutos e sementes.

Parrot. A talking bird that feeds on insects, fruit and seeds.

Papagayo. Pájaro hablante. Se alimenta de insectos, frutos y simientes.

Perroquet. Oiseau parlant qui se nourri d'insectes, de fruits et de grains.

Jacinto d'água
(Eichornia sp).
Só perde em
beleza para a
vitória-régia.
É mais fácil
encontrá-lo
nos lagos.

*Water Hyacinth.
Only looses in
beauty to the
Victoria Regia.
It is found in lakes.*

*Jacinto de agua.
Sólo superado
en belleza por
la vitória-régia
(nenúfar). Es más
fácil de encontrar
en los lagos.*

*Jacinthe d'eau.
Il ne perd en
beauté que pour
les nénuphars.
C'est plus facile
de le retrouver
dans les lacs.*

Santuário das Garças. Um dos lugares da Amazônia onde as garças, sem que se saiba por que, se reúnem toda noite.

Heron Sanctuary. One of the places in the Amazon where herons, for unknown reasons, gather every evening.

Santuario de las garzas. Uno de los parajes de la Amazonia donde las garzas se reúnen todas las noches.

Sanctuaire des Aigrettes. L'un des lieux en Amazonie où les aigrettes, sans qu'on sache pourquoi, se réunissent toutes les nuits.

Vindo do Estado de Roraima, o Rio Branco deságua no Rio Negro, clareando as águas deste na margem esquerda.

Coming from the state of Roraima, river Branco (White) flows into Negro river, lightening the waters on the left bank.

Viniendo del Estado de Roraima, el río Branco desemboca en el río Negro, clareando las aguas de la margen izquierda de éste.

Venu de l'État de Roraima, le fleuve Branco se jette sur le fleuve Negro, éclairant ses eaux à la rive gauche.

Macacos-de-cheiro (Saimiri sciureus). Esbeltos e ágeis, vivem em bandos e raramente descem dos topos das árvores.

Squirrel Monkey. Slender and agile, these monkeys live in groups and rarely leave the treetops.

Macacos-de-cheiro. Esbeltos y ágiles viven en grupos y raramente bajan de las copas de los árboles.

Singe-écureuil. Sveltes et agiles, ils vivent en groupes et descendent rarement des sommets des arbres.

Vista aérea de
Manaus, cidade
situada na
margem esquerda
do Rio Negro,
no centro da
Amazônia
brasileira.

*Aerial view
of Manaus, a city
on the left bank
of the Negro river,
in the center of the
Brazilian Amazon.*

*Vista aérea de
Manaus, ciudad
situada en la
margen izquierda
del río Negro,
en el corazón
de la Amazonia
brasileña.*

*Vue aérienne
de Manaus, ville
située sur la rive
gauche du fleuve
Negro, au cœur
de l'Amazonie
brésilienne.*

Coati (Nasua nasua). Pequeno e valente mamífero, tão ágil quanto o macaco, mas temido por este.

Coati. Small brave mammal, as agile as the monkey, and feared by him.

Coati. Pequeño y valiente mamífero, tan ágil como el mono, aunque temido por éste.

Coati roux. Petit et vaillant mammifère, aussi agile que le singe, mais redouté par ce dernier.

Garça branca grande (Casmerodius albus). Vive em áreas alagadas e se alimenta de peixes, rãs e outros pequenos animais aquáticos.

Large white heron. Lives in flood plains and feeds on fish, frogs, and other small water animals.

Garza blanca grande. Vive en terrenos aguanosos y se alimenta de peces, ranas y otros pequeños animales acuáticos.

Grande aigrette. Elles vivent dans des lieux inondés et se nourrissent de poissons, grenouilles et d'autres petits animaux aquatiques.

Parte do lago
Janauari, repleto
de vitórias-régias.

Part of Janauari
lake, covered in
Victoria Regias.

Zona del lago
Janauari, repleta
de vitórias-régias.

Le lac Janauari
couvert de
nénuphars.

Frutos de caju
(Anarcadium
occidentale),
no Mercado
Municipal
de Manaus.

*Cashew fruit,
at the Municipal
Market in
Manaus.*

*Frutos de caju,
en el Mercado
Municipal de
Manaus.*

*Cajous au
Marché Municipal
de Manaus.*

Jacaré (Melanosuchus niger) no lago do Piranha. Na vazante, os jacarés nadam tranqüilos nas águas abundantes de peixe.

Alligator in Piranha lake. During the dry season, alligators swim peacefully in these waters full of fish.

Jacaré (especie de cocodrilo) en el lago Piranha. En los terrenos más bajos y húmedos, los jacarés nadan tranquilos aprovechando sus aguas repletas de peces.

Caïman dans le lac Piranha. Au moment du jusant, les jacarés nagent tranquillement dans les eaux pleines de poissons.

Arquipélogo fluvial de Mariuá, o maior
do planeta, no Rio Negro.

*Mariuá Archipelago, the largest on the planet,
on Negro River.*

*Archipiélago fluvial de Mariuá, el mayor
del planeta, en el río Negro.*

*Archipel fluvial de Mariuá, le plus grand
de la planète, sur le fleuve Negro.*

Índia Yanomami ornamentada com penas de tucano.

Yanomami Indian adorned with toucan feathers.

Indios Yanomami engalanada con plumas de tucano.

Indienne Yanomami ornée de plumes de toucan.

Carambola (Averrhoa carambola). Fruto de sabor agridoce e propriedades medicinais. Quando cortado transversalmente, adquire o aspecto de uma estrela.

Carambola. Fruit with a bittersweet taste and medicinal properties. It gets the shape of a star when cut across.

Carambola. Fruto de sabor agridulce y propiedades medicinales. Cuando se corta transversalmente adquiere el aspecto de una estrella.

Carambole. Fruit à la saveur aigre-douce ayant des propriétés médicinales. Quand on le coupe transversalement il forme des étoiles.

Orquídea (Sobralia liliastrum) do Morro de Seis Lagos, onde é abundante a vegetação rala e baixa de terreno arenoso.

Orchid on Morro de Seis Lagos, where low sandy-land vegetation is abundant.

Orquídea del Morro de Seis Lagos, donde abunda la vegetación rala y baja propia de terrenos arenosos.

Orchidée sur la colline des Six Lacs, où la végétation basse des terrains aréneux est abondante.

Serpente
atravessando
o Rio Negro

*Snake crossing
the Negro river.*

*Una serpiente
cruza el río Negro.*

*Serpent
traversant
le fleuve Negro.*

Lago de Piranha.
Região de enorme
variedade de
pássaros, peixes e
outras espécies.

*Piranha Lake.
Region with large
variety of birds, fish
and othe species.*

*Lago da Piranha.
Región abundante
en aves, peces y
otras especies.*

*Lac Piranha.
Région où l'on
trouve une énorme
variété d'oiseaux,
poissons et
d'autres espèces.*

Cachoeira da Neblina, no município de Presidente Figueiredo. O paredão da cachoeira é abundante em orquídeas.

Neblina waterfall, in the municipality of Presidente Figueiredo. The wall by the waterfall is covered in orchids.

Salto de la Neblina, en el municipio de Presidente Figueiredo. En la pared de la cascada abundan las orquídeas.

Cascade Neblina, à Presidente Figueiredo. Le mur de pierre derrière la cascade est plein d'orchidées.

Lago da Piranha. Na vazante, o leito do lago se transforma em campos verdes e os rios mostram seu canal sinuoso.

Piranha Lake. During the dry season, the lake bed changes into green fields, and rivers show their winding channels.

Lago da Piranha. En la época de estiaje, el lecho del lago se transforma en campos verdes, y los ríos descubren su curso sinuoso.

Lac Piranha. Durant le reflux, le lac se transforme en champs verts et les fleuves montrent leurs cours sinueux.

Bodó. Espécie de peixe muito comum nos rios de águas claras.

Bodó. A kind of fish, very common to clear water rivers.

Bodó. Especie de pez muy común en los ríos de aguas claras.

Bodó. Espèce de poisson très fréquente dans les rivières d'eau claire.

Festival Folclórico de Parintins, no interior do Estado do Amazonas.

Parintins folk Festival, in the interior of the State of Amazonas.

Festival folclórico de Parintins, en el interior del Estado de Amazonas.

Festival folklorique de Parintins, à l'intérieur de l'Etat de l'Amazonas.

Onça pintada (Panthera Onça). É o maior mamífero predador da América Latina. Chega a medir 2,5 metros e a pesar 160 kg.

Jaguar. This is the largest mammal predator in Latin America. It can measure as much as 2.5 meters in length and weigh up to 160 kg.

Jaguar. El mayor mamífero predador de América Latina. Alcanza hasta 2,5 metros de largo y 160 kilos de peso.

Jaguar tacheté. C'est le plus grand mammifère de l'Amérique Latine. Il peut mesurer jusqu'à 2,5 mètres et peser 160 kg.

Praia da Ponta
Negra, próxima ao
centro de Manaus.
Ponto turístico
bastante
freqüentado pela
população local.

*Ponta Negra beach,
near the center of
Manaus. Spot well
visited by the local
population.*

*Playa de la Ponta
Negra, cercana al
centro de Manaus.
Es uno de los
enclaves turísticos
más frecuentados
por los habitantes de
la región.*

*Plage de Ponta
Negra, près du
centre de Manaus.
Lieu très fréquenté
par la population
locale.*

Arquipélago de Anavilhanas. As ilhas estendem-se no mesmo sentido do rio.

Anavilhanas archipelago. The islands follow the river's course.

Archipiélago de Anavilhanas. Las islas se extienden en el mismo sentido del río.

Archipel des Anavilhanas. Les îles s'étalent dans le même sens que le fleuve.

Festival Folclórico de Parintins,
no interior do Estado do Amazonas.

*Parintins folk festival, in the interior
of the State of Amazonas.*

*Festival folclórico de Parintins, en el interior
del Estado de Amazonas.*

*Festival folklorique de Parintins, à l'intérieur
de l'Etat de l'Amazonas.*

O Pico da neblina, com 3.014 m, é a maior elevação do Brasil.

Pico da neblina, at 3.014 m, is the highest peak in Brazil.

Pico de la neblina, con 3.014 metros, es el más alto de Brasil.

Le Pico da Neblina est la plus haute élévation du Brésil, atteignant 3.014 m.

Cachoeira Santuário, município de Presidente Figueiredo, conhecido como "terra das cachoeiras". Essa é uma das mais visitadas da região.

Santuário waterfall, in the city of Presidente Figueiredo, also known as "land of the waterfalls". This waterfall is one of the most frequently visited in the region.

Cascada Santuario, en el municipio de Presidente Figueiredo, conocido com "tierra de las cascadas". Ésta es una de las más visitadas de la región.

Cascade Santuário, à Presidente Figueiredo, connue également comme la "terre des cascades". Santuário est l'une des plus visitées de la région.

Vista aérea do Centro Cultural Chaminé, antiga estação de tratamento de esgotos, construída em Manaus pelos ingleses.

Aerial view of Centro Cultural Chaminé, former sewage treatment station, built in Manaus by the English.

Vista aérea del Centro Cultural Chaminé, antigua estación de tratamiento de aguas residuales, construida por los ingleses en Manaus.

Vue aérienne du Centre Culturel Chaminé, ancienne station de traitement d'égouts, construite à Manaus par les anglais.

Ariranhas (Pteronura brasiliensis). São brincalhonas, barulhentas e exímias nadadoras. Vivem em bandos nas margens de rios e lagos.

Brazilian Otters. These animals are playful, noisy and excellent swimmers. They live in groups on the banks of rivers and lakes.

Ariranhas. Son juguetonas, ruidosas y excelentes nadadoras. Viven en grupos a orillas de ríos y lagos.

Loutre géante. Elles sont joueuses, bruyantes et de grandes nageuses. Elles vivent en groupes sur les bords des rivières et lacs.

Cachoeira do Tarumã, na cidade de Manaus. Já esteve sob a mira de uma pedreira, que a teria desfigurado. Hoje existe um parque na área.

Tarumã waterfall, in the city of Manaus. This waterfall has already been in the aim of a mining company, which would have destroyed it. Today there is a park around it.

Cascada del Tarumã, en la ciudad de Manaus. Pudo haberse convertido en una cantera, lo que la habría desfigurado. Hoy se halla protegida por el parque constituido en su área.

Cascade Tarumã, à Manaus. Elle a déjà été sous la cible d'une carrière, qui l'aurait détruite. Aujourd'hui elle est protégée par un parc national.

Guará
(Eudocimus
ruber). Sua cor
avermelhada é
resultado dos
alimentos que
ingere.

Scarlet Ibis.
This animal's red
colouring is due
to its diet.

Guará. Su color
pardo rojizo
procede de los
alimentos que
ingiere.

Ibis rouge.
La couleur rouge de
ses plumes est due
aux pigments qui
abondent dans ses
aliments favoris.

Lago de Silves, no município de Itacoatiara. É ponto turistíco de estrangeiros, brasileiros e dos manauaras, os cidadãos de Manaus.

Silves lake, in the municipality of Itacoatiara. This is a popular visiting point for tourists not only from Brazil and abroad, but also from Manaus.

Lago de Silves, en el municipio de Itacoatiara. Es un enclave turístico para extranjeros, brasileños en general y manauaras, los habitantes de Manaus.

Lac de Silves, à Itacoatiara, point touristique des étrangers, des brésiliens et des manauaras, les habitants de Manaus.

Vitória-Régia
(Victoria
amazonica). Essa
flor foi fotografada
no mesmo dia em
que desabrochou.

Victoria Regia.
This flower was
photographed on
the day it opened.

Vitória-régia.
La fotografía fue
tomada el mismo
día en que se
abrió la flor.

Nénuphar.
Cette fleur a été
photographiée le
jour même où
elle a éclot.

A cidade de Manaus, na margem do Rio Negro. Ali se fazem comércio e abastecimento, por meio das balsas que ligam Manaus a Porto Velho e Belém.

The city of Manaus, on the bank of the Negro river. This city does trade and has its stocks replenished mainly by ferry boats that connect it to Porto Velho and Belém.

La ciudad de Manaus, a orillas del río Negro. El comercio y el abastecimiento se realizan aquí por medio de balsas que unen Manaus con Porto Velho y Belém.

La ville de Manaus, au bord du fleuve Negro. On y fait le commerce et l'approvisionnement à l'aide des bacs qui relient Manaus à Porto Velho et Belém.

Arara Canindé (Ara ararauna). Essas aves impressionam pela beleza, pelo colorido e por imitar sons. Vivem em várzeas, nos buritis e babaçuais.

Blue Macaw. These birds impress for their great beauty in colour and for their ability to imitate sounds. They live in flood plains, buriti and babaçu palm forests.

Arara Canindé. Estas aves impresionan por su belleza y vivo colorido, así como por su capacidad para imitar sonidos. Viven en las planicies sobre buritis y babaçuais, palmeras autóctonas.

Ara bleu. Ces oiseaux impressionnent par la beauté, les couleurs et par l'aptitude à imiter des sons. Ils vivent dans les plaines alluviales et les palmeraies.

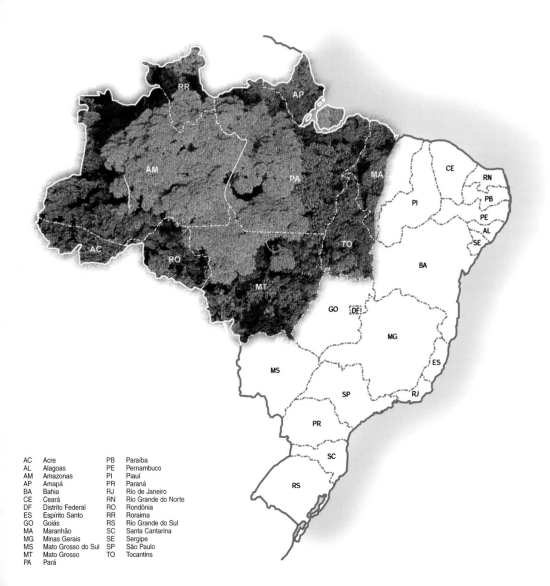

AC	Acre	PB	Paraíba
AL	Alagoas	PE	Pernambuco
AM	Amazonas	PI	Piauí
AP	Amapá	PR	Paraná
BA	Bahia	RJ	Rio de Janeiro
CE	Ceará	RN	Rio Grande do Norte
DF	Distrito Federal	RO	Rondônia
ES	Espírito Santo	RR	Roraima
GO	Goiás	RS	Rio Grande do Sul
MA	Maranhão	SC	Santa Cantarina
MG	Minas Gerais	SE	Sergipe
MS	Mato Grosso do Sul	SP	São Paulo
MT	Mato Grosso	TO	Tocantins
PA	Pará		

A Amazônia ocupa cerca de 2/5 da América do Sul e mais da metade do Brasil (cinco milhões de km²). Inclui nove países (Brasil, Bolívia, Colômbia, Equador, Guiana, Guiana Francesa, Peru, Suriname e Venezuela) e, na parte brasileira, o centro-norte do País, com os seguintes Estados: AM, AC, AP, MA, MT, RO, PA, RR e TO. Tem a maior floresta tropical do mundo.

The Amazon covers an area of around 2/5 of South America, and over half of Brazil (five million km²). It incorporates areas of nine countries (Brazil, Bolivia, Colombia, Ecuador, Guyana, French Guyana, Peru, Suriname and Venezuela) and, in the Brazilian part, the center-north, covering the following states: AC, AM, AP, MA, MT, RO, PA, RR and TO. The area houses the largest tropical forest in the world.

L'Amazonie occupe près de 2/5 de l'Amérique du Sud et plus de la motié du Brésil (cinq millions de km²). Elle est présente dans neuf pays: Brésil, Bolivie, Colombie, Equateur, Guyana, Guyane Française, Pérou, Suriname et Venezuela. A la partie brésilienne, elle recouvre les Etats suivants de la région centre-nord du pays: AC, AM, AP, MA, MT, RO, PA, RR et TO. C'est la plus grande forêt tropicale du monde.

La Amazônia ocupa cerca de 2/5 de América del Sur, así como más de la mitad del territorio brasileño, cinco millones de km². Comprende nueve países, Brasil, Bolivia, Colombia, Ecuador, Guayana, Guayana Francesa, Surinam y Venezuela, y en la parte brasileña, su región centro-norte, con los siguientes Estados: AM, AC, AP, MA, MT, RO, PA, RR y TO. Cuenta con la mayor selva tropical del mundo.

Fotógrafo	Photographer	El fotógrafo	Le photographe

Leonide Principe nasceu na França em 1951 e vive desde 1989 na Amazônia, onde se estabeleceu depois que a agência francesa Sipa Press o incumbiu de uma reportagem na região. A natureza luxuriante conquistou o fotógrafo, que formou um acervo que hoje conta com mais de 40 mil imagens. Estas têm servido de base para folhetos publicitários, cartões postais, edição de livros e inúmeras reportagens científicas e jornalísticas que ilustram revistas nacionais e internacionais. Entre outras publicações, já colaborou com a revista italiana *Oggi*, as alemãs *Das Tier* e *Geo*, a francesa *VSD* e as brasileiras *Terra, Horizonte Geográfico, Veja, Ícaro, Elle* e *Revista Geográfica Universal*. Tem dois livros publicados: *Emoções amazônicas* — guia fotográfico-sentimental dos ecossistemas amazônicos — e *Saga Amazônica do Pequeno Guerreiro Verde*, aos quais se soma este **Amazônia cores e sentimentos**, em que a presença do fotógrafo é decorrência lógica de sua trajetória profissional, tão brilhantemente entrelaçada com a maior floresta tropical do planeta.

Leonide Principe was born in France in 1951, and has been living since 1989 in the Amazon, where he moved after French news agency Sipa Press sent him to work on an article. The Amazon's luxuriant nature won over the photographer, and he now has a collection of over 40 thousand images. These have been used in advertizing pamphlets, post cards, editions of books and a number of scientific and news articles in Brazilian and international publications. His work has already been featured in the following magazines, among others: Italian *Oggi*, German *Das Tier* and *Geo*, French *VSD* and Brazilian *Terra, Horizonte Geográfico, Veja, Ícaro, Elle* and *Revista Geográfica Universal*. He has already had two books published: *Emoções Amazônicas (Amazon Emotion)* — a sentimental photographic guide to ecosystems of the Amazon — and *Saga amazônica do pequeno guerreiro verde (Amazon Saga of the Little Green Warrior)*, and now **Amazônia cores e sentimentos** (Amazon colours and feelings), in which it is natural to show the magnificent blend of the photographer's career with the largest tropical forest on the planet.

Leonide Principe nació en Francia en 1951, y vive desde 1989 en la Amazonia, donde se estableció después de que la agencia francesa Sipa Press le encargara un reportaje de la región. La naturaleza lujuriosa de la selva amazónica conquistó al fotógrafo, quien ha ido formando una colección de imágenes que hoy supera las 40 mil. Éstas han servido para ilustrar folletos publicitarios, tarjetas postales, ediciones de libros e innumerables reportajes científicos y periodísticos, que han aparecido tanto en revistas nacionales como internacionales. Entre otras publicaciones, colaboró con la revista italiana Oggi, las alemanas *Das Tier* y *Geo*, la francesa VSD, y las brasileñas *Terra, Horizonte Geográfico, Veja, Ícaro, Elle* y *Revista Geográfica Universal*. Ha publicado dos libros: *Emoções Amazônicas* – guia fotográfico-sentimental dos ecossistemas amazônicos – y *Saga Amazônica do Pequeno Guerreiro Verde*, a los cuales viene a sumarse este **Amazônia cores e sentimentos**, en el que la presencia del fotógrafo es fruto de su trayectoria profesional, tan brillantemente entrelazada con la mayor selva tropical del planeta.

Leonide Principe est né en France en 1951 et vit depuis 1989 en Amazonie, où il s'est établit après que l'agence française Sipa Presse lui a commandé un reportage sur la région. La nature luxuriante a conquis le photographe qui a conçu un fonds d'images comptant aujourd'hui plus de 40 mille photographies de l'Amazonie. Ces images sont utilisées pour des papiers publicitaires, des cartes postales, des éditions de livre et de nombreux reportages scientifiques et journalistiques qui illustrent des revues nationales et internationales. Il a déjà collaboré avec le magazine italien *Oggi*, les allemands *Das Tier* et *Geo*, le français *VSD* et les brésiliens *Terra, Horizonte Geográfico, Veja, Ícaro, Elle* et *Revista Geográfica Universal*, parmi d'autres. Il a deux livres publiés: *Emoções Amazônicas* – guide photographique-sentimental des écosystèmes amazoniens – et *Saga Amazônica do Pequeno Guerreiro Verde*, auxquels on ajoute ce **Amazônia Cores e Sentimentos**, dans lequel la présence du photographe est une conclusion logique de sa trajectoire professionnelle, emmêlée de façon tellement remarquable à la plus grande forêt tropicale de la planète.

Conheça mais o Brasil em outros livros da Escrituras Editora.

Learn more about Brazil in other books by Escrituras Editora.

Conozca más del Brasil con otros libros de Escrituras Editora.

Découvrez le Brésil à travers d'autres livres d' Escrituras Editora.

Brasil Retratos Poéticos 1
Brazil Poetic Portraits 1
315x220mm

ISBN:85-86303-01-1

Poemas/poems/poèmes
Raimundo Gadelha

Fotos/photos
Araquém Alcântara
Bruno Alves
José Caldas

Brasil Retratos Poéticos 2
Brazil Poetic Portraits 2
315x220mm

ISBN:85-86303-98-4

Poemas/poems/poèmes
Raimundo Gadelha

Fotos/photos
Edson Sato
Fábio Colombini
Maurício Simonetti
Walter Firmo

Rio de Janeiro cores e sentimentos
Rio de Janeiro colors and feelings
165x245mm

ISBN:85-7531-032-1

Fotos/photos
Walter Firmo

Brasil cores e sentimentos
Brazil colors and feelings
165x245mm

ISBN:85-7531-010-0

Fotos/photos
Araquém Alcântara

Impresso em São Paulo, SP, em abril de 2002, nas oficinas da gráfica Takano
em papel couchê Image Mate 145g/m², fabricado pela Ripasa e distribuído pela Rilisa (tel.: 0800.116860).
Composto em Agaramond, corpo 8.5pt.

Não encontrando este título nas livrarias,
solicite-o diretamente à editora.

Escrituras Editora e Distribuidora de Livros Ltda.
Rua Maestro Callia, 123 - Vila Mariana – 04012-100 São Paulo, SP
Telefax: (11) 5082-4190 - http://www.escrituras.com.br
e-mail: escrituras@escrituras.com.br (Administrativo)
e-mail: vendas@escrituras.com.br (Vendas)
e-mail: arte@escrituras.com.br (Arte)